Sofortwissen kompakt

Erfolgreich verhandeln

Verhandlungskompetenz in 50 x 2 Minuten

heragon

1. Auflage 2009

Thomas Größer (Pseudonym)
Sofortwissen kompakt: Erfolgreich verhandeln
Verhandlungskompetenz in 50 x 2 Minuten
ISBN 978-3-941574-09-9

Printed in Germany

Heragon Verlag GmbH
Postfach 1702
D-79017 Freiburg
Internet: www.heragon.de
E-Mail: info@heragon.de

Erschienen in der Reihe „Sofortwissen kompakt"

Das frühe „Ja“

Häufig ist die Zustimmung durch Körpersprache schon früh sichtbar.

Wie sollten Sie hier vorgehen?

Das frühe „Ja“

Wenn Sie weiterargumentieren, obwohl der Verhandlungspartner körpersprachlich Interesse signalisiert, laufen Sie Gefahr, den Abschluss und den Verhandlungspartner zu verlieren.

Achten Sie besonders auf folgende Signale der Zustimmung:

- nach vorne Beugen
- zustimmendes Nicken
- aktives und interessiertes Zuhören
- Ihr Verhandlungspartner stellt Fragen, die sich auf die Zeit oder Prozesse nach dem Vertragsabschluss beziehen.
- Es werden Formulierungen verwendet wie „Das klingt ja schon ganz gut..." oder „So könnten wir uns das vorstellen."

Tipp: Seien Sie ruhig forsch. Lieber einmal zu früh gefragt als einmal zu wenig.

Teilziele festhalten

Eine Verhandlung besteht nicht nur aus einem einzigen „Ja", sondern aus vielen kleinen Schritten. Achten Sie daher darauf, auch auf Teilziele hinzuarbeiten.

Teilziele festhalten

Notieren Sie einzelne Punkte, die erreicht werden sollen. Halten Sie Teilziele fest. So riskieren Sie nicht, in eine andere Richtung gedrängt zu werden und können die Verhandlung unter Kontrolle halten. Außerdem werden hier schon Gemeinsamkeiten formuliert, auf die Sie später eventuell zurückgreifen können, falls sich die Verhandlung anders entwickelt. Notieren Sie auch die tatsächlich erreichten Ziele – besonders für die Nachbereitung ist dies wichtig.

Verlieren Sie aber durch das Hinarbeiten auf Teilziele nicht das eigentliche Ziel aus den Augen.

Stille aushalten

Es muss nicht immer geredet werden. Dennoch wird häufig der Fehler gemacht, dass ein Verhandlungspartner sofort losplappert, wenn es eine Pause mit Stille gibt.

Tatsächlich können Sie Schweigen gezielt einsetzen, um Ihrem Verhandlungspartner Informationen oder sogar Zugeständnisse zu entlocken.

Wie genau funktioniert dies?

Stille aushalten

Wenn Sie auf einen Vorschlag nichts entgegnen – auch nonverbal nicht – zwingen Sie Ihr Gegenüber dazu, sein Angebot weiter auszuführen und eventuell sogar schon Zugeständnisse zu machen.
Durch Schweigen vermitteln Sie meist Ablehnung, verunsichern Ihren Verhandlungspartner und bringen ihn so dazu, Sie durch andere Argumente zu überzeugen. Zudem können Sie in der Zeit des Schweigens überlegen, wie Sie weiterverhandeln möchten.

Doch Achtung: Schweigen ist schwerer, als Sie denken. Probieren Sie es aus und verbessern Sie dadurch Ihre Selbstbeherrschung.

Gemeinsamkeiten suchen

Verhandeln bedeutet, Gemeinsamkeiten zu finden. Aber nicht nur am Schluss, sondern am besten während der gesamten Verhandlung oder bereits im Voraus. Erforschen Sie Gemeinsamkeiten wie Hobbys, Interessen oder gemeinsame Bekannte schon im Vorfeld.

Gemeinsamkeiten suchen

Suchen Sie in der Verhandlungssituation gezielt nach Gemeinsamkeiten.

Beispiele:

- Eine Gemeinsamkeit ist schon von Beginn an gegeben: Sie sitzen mit Ihrem Verhandlungspartner an einem Tisch.
- Durch das Formulieren (und Überprüfen) von Teilzielen entstehen weitere Gemeinsamkeiten.
- Überlegen Sie, ob Sie nicht auf einer höheren Ebene gemeinsame Ziele haben (z. B. Erhalt von Arbeitsplätzen, Effizienz o. ä.) und greifen Sie diese auf.
- Lassen sich gemeinsame Interessen im Ergebnis ausmachen?
- Gibt es im Privaten Gemeinsamkeiten?

Persönliche Vorbereitung

„Die Zwillingsschwester des Erfolges ist die gute Vorbereitung." Anders gesagt: Je besser Sie vorbereitet sind, desto erfolgreicher wird Ihre Verhandlung verlaufen.

Das bedeutet: Definieren Sie vor einer Verhandlungssituation zunächst die Ziele, die Sie erreichen wollen. Darauf stimmen Sie dann die inhaltliche und strategische Vorgehensweise ab.

Persönliche Vorbereitung

Formulieren Sie Ihre Ziele schriftlich vor der Verhandlung. Dabei sollten Sie unbedingt auf eine positive Formulierung achten.

- Klären Sie, welche Ziele Sie erreichen wollen, und notieren Sie die Antwort schriftlich.
- Klären Sie, was zum Erreichen des Zieles unternommen werden muss.
- Überlegen Sie, ob das Ziel überhaupt erreichbar ist.
- Klären Sie im Vorfeld Ihre Verhandlungsgrenzen, über die Sie nicht gehen möchten.

Ziele anderer antizipieren

Versuchen Sie, die Verhandlung mit den Augen Ihres Verhandlungspartners zu sehen. Versetzen Sie sich in die Rolle Ihres Gegenübers. Damit schärfen Sie Ihre Wahrnehmung für mögliche Schwachstellen in Ihrer eigenen Argumentation. Um zu lernen, die Verhandlung aus einem anderen Blickwinkel zu betrachten, können Sie sich eine Reihe nützlicher Fragen stellen.

Ziele anderer antizipieren

- Welche Erwartungen und Ziele könnte mein Partner verfolgen? Hat er persönliche Motive?
- Welches Ergebnis würde ihm am meisten nutzen?
- Welche bisherigen Erfahrungen hat er mit mir gemacht und welche Vermutungen hat er über meine Strategie/Ziele/Wünsche?
- Welche Rolle nimmt er in seiner Organisation ein und mit wem muss er sich abstimmen? Wie groß sind seine Entscheidungskompetenzen?
- Wo liegt seine Schmerzgrenze bei Zugeständnissen und was müsste passieren, damit er die Verhandlung abbricht?
- Welches Ergebnis würde meinem Verhandlungspartner am meisten nutzen?

Win-win-Situation

Bei einer Verhandlung stehen sich in der Regel zwei oder mehrere Positionen mit unterschiedlichen Zielen gegenüber. Entscheidend für eine befriedigende Zusammenarbeit ist, dass kooperativ verhandelt wird mit dem Ziel, dass alle Beteiligten von den Ergebnissen der Verhandlung profitieren. Damit vermeiden Sie bei sich und bei Ihren Partnern das Gefühl, übervorteilt worden zu sein.

Win-win-Situation

Entscheidend ist, dass Sie in der Lage sind, zwischen Verhandlungsthema und Vorgehensweise zu unterscheiden.

Lassen Sie sich dabei von folgenden Grundsätzen leiten:

- Vergessen Sie nie, dass Sie mit Menschen verhandeln und nicht mit Problemen.
- Eine gute Lösung basiert auf objektiven, nachvollziehbaren Kriterien.
- Eine gute Lösung stellt die unterschiedlichen Interessen in den Mittelpunkt und nicht die Positionen.
- Eine gute Lösung verhindert, dass der Verhandlungspartner in der Verhandlung sein Gesicht verliert.

Wichtig: Behalten Sie immer den Nutzen des Verhandlungspartners im Auge.

Vom Problem zum Ziel

Für einen gelungenen Einstieg in eine Verhandlung ist es wichtig, zunächst eine gemeinsame Definition des Problems zu erarbeiten. Dabei legen die beteiligten Parteien fest, wo Anfang- und Zielpunkt der gemeinsamen „Reise" liegen. Denn wer nicht weiß, wohin die Reise gehen soll, wird sein Ziel nie erreichen.

Vom Problem zum Ziel

- **Phase 1 – Problemdefinition:** Wie lautet das konkrete Problem? Wie lässt es sich gegen andere Themen abgrenzen?
- **Phase 2 – Lösungen:** Welche unterschiedlichen Wege wollen die Partner beschreiten, um das Ziel zu erreichen? Welche möglichen Alternativen gibt es?
- **Phase 3 – Bewerten:** Was spricht für oder gegen die einzelnen Wege?
- **Phase 4 – Zusammenführen:** Wie sieht die beste langfristige Lösung für beide Seiten aus?
- **Phase 5 – Praxistransfer:** Welche konkreten Schritte sind auf beiden Seiten dafür notwendig?

Tipp: Oft hilft es, auf einer Meta-Ebene die Positionen beider Verhandlungsparteien wahrzunehmen und so andere Lösungen zu finden.

Die richtige Einstellung

Grundlage für eine kooperative Verhandlungsführung ist die richtige innere Einstellung. Sehen Sie die Verhandlung als die gemeinsame Suche nach einem für alle Seiten gangbaren Weg. Bei einer Win-win-Lösung sind alle Parteien mit der Entscheidung zufrieden und fühlen sich dem vereinbarten Vorgehen gegenüber verpflichtet.

Sie sollten jedoch auf die Art der Verhandlung achten. Verkaufen Sie etwa Ihr Haus, muss sicherlich keine Win-win-Situation entstehen, da Sie keine Geschäfte mehr mit dem Käufer machen werden. Doch denken Sie immer auch an negative Mundpropaganda.

Die richtige Einstellung

1. „Ich respektiere weder mich noch meine Verhandlungspartner." Mit anderen Worten: „Das hat doch sowieso keinen Wert, wir werden nie eine Lösung finden."
2. „Ich respektiere mich, aber nicht meine Verhandlungspartner." So wollen Sie die Verhandlung auf Kosten Ihrer Partners gewinnen.
3. „Ich respektiere meine Verhandlungspartner, aber nicht mich." Hier spielen Sie die Opferrolle und zwingen so ihre Verhandlungspartner in die Rolle von Helfern.
4. „Ich respektiere mich ebenso wie meine Verhandlungspartner." Hier verhandeln Sie partnerschaftlich und konstruktiv.

Persönliche Integrität

Um in einer Verhandlung nicht zum Spielball der anderen zu werden und trotzdem kooperativ zu bleiben, ist es wichtig, dass Sie Ihre persönlichen Werte genau kennen. Auf der Rückseite finden Sie einige Beispiele für Werte, die im Leben wichtig sein können. Erstellen Sie für sich eine Wertehierarchie, als sichere Basis für Ihre persönliche Integrität.

Ihre Werte bestimmen Ihre Handlungen und bilden umgekehrt den Rahmen, anhand dessen Sie die Handlungen anderer bewerten.

Persönliche Integrität

Freunde, Erfolg, Reichtum, Umwelt, Natur, Ruhm, Ehre, Stolz... Wenn einer den Umweltaspekt vor Reichtum als Wert empfindet, wird er die ökologischen Aspekte den finanziellen vorziehen.
Nehmen Sie sich ein Blatt Papier und schreiben Sie die zehn wichtigsten Werte in Ihrem Leben als Liste auf.

Einige Werte:

Ausdauer – Achtung – Autonomes Handeln – Disziplin – Ehrlichkeit – Exzellenz – Familie – Freiheit – Gerechtigkeit – Gesundheit – Innovation – Kreativität – Klugheit – Pünktlichkeit – Respekt – Spaß – Toleranz – Vertrauen – Würde

Tipp: Bringen Sie diese Werte in eine Reihenfolge. So erhalten Sie Ihre persönliche Wertehierarchie.

Aktives Zuhören

Aktives Zuhören bedeutet sicherzustellen, dass Sie Ihren Verhandlungspartner so verstehen, wie dieser verstanden werden möchte. Dabei vermeiden Sie, das Gehörte sofort mit Ihren Erwartungshaltungen zu filtern und möglicherweise schnell und unüberlegt darauf zu antworten. Aktives Zuhören hilft Ihnen dabei.

Aktives Zuhören

Wiederholen Sie beim aktiven Zuhören die Aussagen Ihres Partners in eigenen Worten.

Mit diesen Formulierungen können Sie Ihre Wiederholung einleiten:
„Wenn ich Sie richtig verstanden habe, ..."
„Für Sie kommt es in der Verhandlung also auf Folgendes an ..."
„Ihre Prioritäten liegen wie folgt ..."
„Um Missverständnisse zu vermeiden ..."

Geben Sie kurze Rückmeldungen, stellen Sie Zwischenfragen und signalisieren Sie Ihre Aufmerksamkeit durch Worte wie „mmh" oder „ja" oder „aha". Ebenfalls hilfreich: kleine Zwischenbemerkungen und Kurzzusammenfassungen des Gesagten.

Fragetechnik

„Wer fragt, der führt."
Vielleicht haben Sie diese Aussage schon einmal gehört. Denn allein über Ihre Fragetechnik können Sie eine Verhandlung beeinflussen. Setzen Sie offene Fragen ein, um die Verhandlung bewusst zu führen. Auf diese Weise behalten Sie die Initiative.

Fragetechnik

Offene Fragen beginnen mit Fragewörtern „Wie", „Wer", „Was", „Wo" und „Weshalb" und gestatten eine aktive Gesprächsführung, da der Gesprächspartner in ganzen Sätzen zu antworten geneigt ist.
Dabei gilt die Grundregel: Je präziser Sie fragen, desto höher die Qualität der Antworten.

Bei geschlossenen Fragen antworten Ihre Gesprächspartner meist mit „ja" oder „nein". Verwenden Sie daher in der letzten Phase der Verhandlung eher geschlossene Fragen, um nicht immer wieder neue Themen anzusprechen.

Achtung bei Warum-Fragen: Diese lösen oft eine Rechtfertigungssituation beim Gegenüber aus.

Empathie

Damit ist gemeint, die Gefühlslage Ihres Verhandlungspartners wahrzunehmen, zu verstehen und diesem Verständnis Ausdruck zu verleihen. Damit schaffen Sie eine persönliche Verbindung zu Ihrem Gegenüber. Wenn Sie diese Technik beherrschen, können Sie Verhandlungen mehr Tiefe geben und sie wird Ihnen helfen, langfristige Beziehungen aufzubauen.

Empathie

Um Ihrem Verhandlungspartner auch auf emotionaler Ebene begegnen zu können, lohnt es sich, Ihre Wahrnehmung zu trainieren. Meist werden Aussagen über die eigene Gefühlslage hinter vermeintlich sachlichen Aussagen versteckt. Wenn Sie den Eindruck haben, dass eine emotionale Motivation hinter den Aussagen Ihres Verhandlungspartners steckt, dann fragen Sie einfach nach. Die Formulierung „Ich habe das Gefühl, Sie sind schon ein wenig wütend/ängstlich/zornig/traurig, weil ..." erleichtert Ihnen das Verbalisieren und signalisiert dem Gegenüber, dass Sie bereit und in der Lage sind, sich in seine Situation zu versetzen.

Die 3 häufigsten Fehler

Drei weitverbreitete Fehler in Verhandlungen haben Ihren Ursprung darin, sich nicht am Verhandlungspartner zu orientieren. Partnerorientiertes Vorgehen bedeutet stattdessen, stets mit den Augen und den Ohren Ihres Gegenübers zu sehen und zu hören. Dadurch gewinnen Sie die Kontrolle und Übersicht über die Verhandlung.

Die 3 häufigsten Fehler

Wenn Sie mit Ihrer Aufmerksamkeit bei Ihrem Partner bleiben, ihm genau zuhören, gegebenenfalls nachfragen und sich Zeit mit Ihrer Antwort lassen, vermeiden Sie folgende Fehler:

1. Sie sind mit den Gedanken schon bei Ihrer Antwort, noch ehe Sie alles gehört haben, was Ihr Gegenüber zu sagen hat.
2. Sie gehen immer davon aus, das Gesagte so verstanden zu haben, wie es gemeint war.
3. Sie lassen sich von Details ablenken und verlieren Ihr Verhandlungsziel aus den Augen.

Nonverbale Kommunikation

Außer dem Gesagten werden in einem Gespräch noch eine Menge weiterer Informationen ausgetauscht. Untersuchungen weisen darauf hin, dass Stimme und Körperhaltung größeren Einfluss auf die Wahrnehmung des Gesagten haben als der Inhalt der Worte. Ihre nonverbale Kommunikation ist so von entscheidender Bedeutung in einer Verhandlung.

Was bedeutet das für Sie?

Nonverbale Kommunikation

Achten Sie in einer Verhandlung ganz bewusst bei Ihrer Sprache auf Atmung, Modulation und Artikulation, bei Ihrer Körpersprache auf Gestik, Mimik, Haltung und Blickkontakt.

- Mangelnder Blickkontakt könnte beim Gegenüber als Zeichen der Unsicherheit und Schwäche interpretiert werden.
- Durch schnelles Atmen können Sie unbeabsichtigt signalisieren, dass Sie unter Zeitdruck stehen.
- Verschränkte Arme können Ablehnung signalisieren.

Tipp: Unterbreiten Sie Angebote nicht nur verbal, sondern auch körpersprachlich (z. B. offene Gesten). Und: Setzen Sie Grenzen ebenfalls körpersprachlich.

Körpersprache einsetzen

Wenn Sie in einer Verhandlung wichtige Ziele haben und diese unbedingt erreichen wollen, dann sollten Sie Ihr Auftreten vor dem Spiegel proben.

Achten Sie bei der Probe ganz bewusst auf folgende wichtige Punkte:

Körpersprache einsetzen

1. Bevor Sie anfangen zu reden, simulieren Sie bei geschlossenen Lippen ein Gähnen. Das senkt Ihren Kehlkopf und entspannt ihn. Das verleiht Ihrer Stimme beim Sprechen mehr Klang.
2. „Frieren" Sie Ihre offene und straffe Körperhaltung ein, um wichtige Botschaften zu unterstreichen. Irritieren Sie Ihr Gegenüber nicht durch ständiges Wechseln Ihrer Haltung.
3. Halten Sie bei wichtigen Aussagen unbedingt Blickkontakt.
4. Kunstpausen können Spannung erzeugen und eingesetzt werden, um Kernaussagen zu unterstreichen: „Ich habe eine wichtige Empfehlung (Pause), nämlich ...".

Spielregeln vereinbaren

In einer Verhandlung kann es schwerwiegende Folgen haben, wenn die Verhandlungspartner nach unterschiedlichen Regeln spielen. Scheuen Sie sich deshalb nicht, zu Beginn elementare Regeln für den Umgang miteinander zu vereinbaren. Damit schaffen Sie schon am Anfang ein gutes und partnerorientiertes Klima und sorgen für Transparenz.

Spielregeln vereinbaren

Vier grundlegende Spielregeln erleichtern eine Verhandlung:

1. Fragen sollten so gestellt werden, dass sie beantwortet werden können.
2. Jeder hat das Recht, seine Meinung innerhalb der Verhandlung zu ändern.
3. Jeder ist bereit, für die Folgen seines Handelns Verantwortung zu übernehmen.
4. Jeder achtet darauf, auf sachlicher und nicht auf emotionaler Ebene zu verhandeln.

Feedback geben

Gerade in schwierigen Verhandlungssituationen ist das Feedback ein überaus nützliches Instrument. Wie kann das konkret aussehen?

Feedback geben

Sehr oft werden Sie in Verhandlungen Aussagen und Handlungen Ihres Gegenübers wahrnehmen, die in Ihnen bestimmte Reaktionen auslösen.
Um sicherzustellen, dass Ihre Eindrücke und Beobachtungen mit der Botschaft Ihres Gegenübers übereinstimmen, sollten Sie ein Feedback nach folgenden Regeln geben.

Feedbackregeln:

- nur unmittelbare „Ich habe gesehen/gehört…"-Aussagen
- bewertungsfrei
- Beobachtetes konkret darstellen
- den eigenen subjektiven Eindruck betonen
- Vermutungen nicht als Tatsachen darstellen

Feedback annehmen

Vielleicht passieren Ihnen in einer Verhandlungssituation auch einmal Dinge, die bei Ihrem Partner auf offensichtliches Unverständnis stoßen, auch wenn diese gar nicht so gemeint sind. Sie sollten ein unmittelbares Feedback von Ihrem Gegenüber als Geschenk betrachten. Denn wenn Sie die angesprochenen Dinge ändern, rufen Sie damit Respekt bei Ihren Partnern hervor.

Feedback annehmen

Diese Regeln helfen Ihnen, Feedback anzunehmen:

1. Feedback-Geber aussprechen lassen.
2. Kontrollieren Sie den inneren Zwang zum Widerspruch und zur Rechtfertigung.
3. Unterstellen Sie Ihrem Gegenüber immer gute Absichten.
4. Seien Sie dankbar für jedes Feedback, denn es ist immer wie in einen Spiegel zu sehen. Nur so haben Sie die Gelegenheit, sofort und unmittelbar Ihre Wirkung auf andere zu erfahren.

Vorwegnahme

Gerade in angespannten und schwierigen Verhandlungssituationen ist es ratsam, sich auf kritische Punkte vorzubereiten und diese offensiv anzusprechen. Das hat den Vorteil, dass Sie die Initiative behalten und bestimmen, wann diese Themen zur Sprache kommen.

Vorwegnahme

Bereiten Sie sich auf kritische Punkte so vor, dass Sie diese ansprechen können, ohne in eine nachteilige Verhandlungsposition zu geraten.

Beispiel:
Es ist vorab deutlich geworden, dass die andere Seite erhöhten Produktionskosten sehr kritisch gegenübersteht. Eine Vorwegnahme könnte so lauten: „Unserer Erfahrung nach ist das Thema Umweltverträglichkeit in letzter Zeit stark in den Fokus des öffentlichen Interesses gerückt. Lassen Sie mich deshalb vorab darstellen, wie wir unsere Produktionstechnik so angepasst haben, dass wir bei gleichbleibenden Kosten umweltfreundlich produzieren können."

Bumerang

Nutzen Sie bei dieser Technik das Argument der Gegenseite für Ihr eigenes Verhandlungsziel. Das Argument der Gegenseite ist hier der Haken, an den Sie Ihre eigene Argumentation hängen.

Wie sieht das in der Praxis aus?

Bumerang

Ihr Verhandlungspartner argumentiert: „Mit Ihrer letzten Lieferung waren wir nicht sehr zufrieden und deshalb sind wir unsicher, ob wir weiter mit Ihnen zusammenarbeiten wollen."

Ihre Antwort: „Gerade weil Sie in der Vergangenheit mit uns nicht zufrieden waren, wollen wir jetzt unsere Leistungsfähigkeit unter Beweis stellen."

Ihr Verhandlungspartner argumentiert: „Ihre Lieferzeiten für die Verbrauchsmaterialien sind zu lang."

Ihre Antwort: „Ja, gerade angesichts der Lieferzeiten schlage ich vor, dass wir jetzt gleich über einen Abrufauftrag sprechen sollten."

Plus-Minus

Viele Verhandlungen scheitern daran, dass jeder der Verhandlungspartner versucht, sich oder seine Produkte als perfekt darzustellen. Vermutlich kennen Sie das Sprichwort „Nobody is perfect".
Um in einer Verhandlung Ihre eigene Glaubwürdigkeit und persönliche Integrität zu unterstreichen, ist der Einsatz der Plus-Minus-Methode sehr wirksam.

Wie kann das konkret aussehen?

Plus-Minus

Sie sprechen ganz offen an, welche Nachteile Sie oder Ihre Dienstleistungen haben. Damit nehmen Sie schon mögliche Einwände Ihres Partners vorweg. Dann stellen Sie jedoch sofort Ihre Lösung dafür in den Mittelpunkt.

Beispiele:

- „Es ist mir klar, dass unser Vertriebsnetz noch nicht bundesweit ausgebaut ist. Das machen wir jedoch dadurch wett, dass wir Ihre Ware ohne zusätzliche Kosten direkt bei Ihren Produktionsstätten abholen."
- „Unsere Preise sind höher als die der Mitbewerber. Allerdings ist bei unseren Produkten garantiert, dass Sie aus kontrolliert biologischem Anbau stammen und höchsten Qualitätsstandards entsprechen."

Division

Große Beträge nennen zu müssen kann vor allem bei Preisverhandlungen ein sensibler Punkt sein. Wie können Sie diese für Ihren Verhandlungspartner verdaulicher gestalten?

Division

Die Divisionstechnik ist dann sinnvoll, wenn konkrete Zahlen kommuniziert werden müssen. Sie setzen dabei den Preis in Relation zu anderen Bezugsgrößen und können so einen hohen Gesamtbetrag übersichtlicher gestalten.

Ein Service-Paket, das 360 € im Jahr kostet, würde dann folgendermaßen dargestellt werden: „Mit unserem Rundum-Sorglos-Paket steht Ihnen 24 Stunden am Tag ein Techniker zur Verfügung. Diese Sicherheit kostet Sie nur einen Euro pro Tag."

Multiplikation

Es kann in einer Verhandlung mitunter hilfreich sein, Zahlen oder Beträge möglichst groß erscheinen zu lassen, um Ihrer Argumentation damit mehr Gewicht zu verleihen.

Wie können Sie an den Zahlen drehen und trotzdem bei den Tatsachen bleiben?

Multiplikation

Wie bei der Division wählen Sie hier ebenfalls eine andere Bezugsgröße, um Zahlen „großzurechnen". Ihre Argumentation sollte sich natürlich immer an möglichst großem Gewinn und möglichst niedrigen Kosten für Ihren Verhandlungspartner orientieren.

Ein Beispiel:

„Durch unser erfolgreiches Trainingskonzept sind Ihre Mitarbeiter in der Lage, im Schnitt pro Außendienstbesuch 25% mehr Umsatz zu machen. Das heißt, der ursprüngliche Umsatz von 1.000,– € liegt hinterher bei 1.250,– €. Bei 100 Außendienstmitarbeitern macht das 25.000,– € Plus. Wenn man von durchschnittlich vier Besuchen im Jahr ausgeht, haben Sie einen Zuwachs von 100.000,– €."

Themen auf Eis legen

Angenommen, Sie werden in einer Verhandlung von einem Argument Ihres Partners überrascht. Niemand zwingt Sie, sich dem Thema sofort zuzuwenden. Gehen Sie einfach später darauf ein und legen Sie das Thema zunächst „auf Eis". Doch auch hier kommt es auf die richtige Formulierung an.

Themen auf Eis legen

Zunächst ist es entscheidend, dass Sie Ihrem Verhandlungspartner gegenüber signalisieren, dass Sie das Thema als ebenso wichtig anerkennen. Bitten Sie dann höflich darum, es später ansprechen zu dürfen. Tun Sie das mit den richtigen Worten, wird man Ihnen den Wunsch in den seltensten Fällen abschlagen und Sie haben Zeit gewonnen.

Beispiel:
„Sie sprechen da einen wichtigen Punkt in unserer Verhandlung an. Ich möchte Ihr Argument am Ende unseres Gespräches wieder aufgreifen und zunächst auf etwas anderes eingehen. Ist das o. k. für Sie?"

Wichtig: Sprechen Sie das zurückgestellte Thema auf jeden Fall auch wieder an. Tun Sie das nicht, riskieren Sie Ihre Glaubwürdigkeit.

Gegenfrage

Mit einer Gegenfrage können Sie in einer schwierigen Situation den Ball an Ihren Partner zurückspielen und damit Zeit gewinnen. In diesem Sinne tarnt sich die Gegenfrage als Verständnisfrage. Wenn Sie also spüren, dass Sie von einem Argument kalt erwischt worden sind und erst einmal Ihre Gedanken sortieren müssen, dann...

Gegenfrage

...finden Sie hier einige Vorschläge für Gegenfragen:

- Wie meinen Sie das konkret?
- Wie muss der Sachverhalt aussehen, damit Sie zufrieden sind?
- Wie lautet Ihre Lösung?
- Was wäre außerdem noch möglich?
- Inwiefern?

Gelassen bleiben

Es liegt in der Natur der Verhandlung, dass dort leicht kritische Situationen entstehen können. Häufig bieten die unterschiedlichen Interessen Konfliktpotential.

Um für die jeweilige Situation stets die richtige Antwort parat zu haben, empfiehlt es sich, zwei Haltungen mit in die Verhandlung zu nehmen: Schlagfertigkeit und Gelassenheit. Um so zu handeln, ist es elementar, dass Sie erste, aufkommende Gefühle und Emotionen wahrnehmen und kontrollieren können.

Gelassen bleiben

Wenn Sie in einer schwierigen Situation merken, dass Emotionen bei Ihnen aufsteigen, weil Sie mit etwas nicht einverstanden sind, dann wenden Sie die drei-Fragen-in-drei-Sekunden-Technik an.

Fragen Sie sich innerlich:

- Kann ich die Situation/mein Gegenüber/die Rahmenbedingungen/mein eigenes Verhalten ändern oder
- ist es sinnvoller, dies alles zu akzeptieren oder
- ist es sinnvoller, zu kämpfen?

Sie werden dann schnell merken, dass die erste und innerliche Erregung verschwindet und Sie angemessen reagieren können.

Destruktives Vorgehen

Destruktive Verhandlungstechniken der Gegenseite sind oftmals schwer zu erkennen. denn keiner Ihrer Partner wird Sie warnen: „Achtung, jetzt wende ich gleich eine unfaire Vorgehensweise an."
Die Motivation, warum jemand trotz alledem diese Taktiken ins Spiel bringt, ist sehr schwer zu analysieren. Dennoch sollten Sie Ihre Fähigkeit trainieren, unfaire Vorgehensweisen zu erkennen, um dementsprechend reagieren zu können.

Destruktives Vorgehen

Wenn in einer Verhandlung immer nur der gesunde Menschenverstand maßgeblich wäre, dann würde sich die Zeitdauer der Verhandlung sehr verkürzen. Ein gegenseitiges Bewerten der Argumente und Ziele würde dann immer dem besseren Argument zum Durchbruch verhelfen. Doch in der Praxis steht dem der einzelne Mensch mit seinen individuellen Bedürfnissen, Wünschen, Erfahrungen und Gefühlen gegenüber. Dabei ist jedoch klarzustellen, dass kein Mensch bewusst und absichtlich ein schlechtes und schädliches Verhalten wählt. Vielen ist in stressigen (Verhandlungs-)Situationen nicht bewusst, was sie tun. Helfen Sie Ihren Verhandlungspartnern, solche destruktiven Taktiken zu erkennen, indem Sie sie aufdecken.

Emotionale Erpressung

Manchmal kann es in Verhandlungssituationen vorkommen, dass ihr Gegenüber seine Ziele durchsetzen will, indem er versucht, Sie emotional zu erpressen.
Diese Strategie gilt es zu erkennen, um mit der entsprechenden Gelassenheit darauf zu reagieren.

Emotionale Erpressung

Meist wird die Erpressung mit einem Appell oder einer Zuschreibung eingeleitet, der Sie nicht widersprechen können oder wollen. In einem nächsten Schritt leitet der Erpresser dann Schlüsse daraus ab, die seiner Verhandlungsposition entgegenkommen. Jetzt gilt es, der Falle durch kritisches und konkretes Nachfragen zu entkommen.

Beispiel:

Ihr Verhandlungspartner: „Wir sind ja schließlich beide an einer guten und langfristigen Zusammenarbeit interessiert. Daher sollten wir den Abschluss jetzt machen." Ihre Antwort könnte lauten: „Auch ich bin an einem guten Miteinander sehr interessiert. Gerade deshalb sollten wir die Dinge nicht überstürzen."

Killerphrasen

Killerphrasen lassen sich durch eine gute Vorbereitung recht einfach aushebeln. Auf der Rückseite finden Sie ein Arsenal dieser Phrasen. Trainieren Sie im geschützten Rahmen Ihre Schlagfertigkeit, indem Sie sich Antworten zu den Einwürfen überlegen. Sie werden schnell feststellen, dass die Anzahl der Killerphrasen nicht sehr groß ist. Deshalb können Sie sich sehr gut darauf vorbereiten.

Killerphrasen

Auf mehr als die folgenden zehn Killerphrasen (in Variationen) werden Sie nicht stoßen:

- Dafür haben wir kein Geld.
- Das ist nicht vernünftig.
- Sie sind der Verhandlung nicht gewachsen.
- Das haben wir noch nie so gemacht.
- Dafür haben Sie zu wenig Erfahrung.
- Das ist alles viel zu theoretisch.
- Das kostet zu viel Zeit, ist zu teuer oder bringt nichts.
- Das klappt in der Praxis doch niemals.
- Sie sind dieser Herausforderung nicht gewachsen.
- Das sprengt doch jetzt komplett den Rahmen der Verhandlung.

Rollenzuweisungen

Bei dieser Technik werden Sie nicht als Person wahrgenommen, sondern auf Ihre Funktion innerhalb Ihres Unternehmens reduziert. Auch hier gilt es, die Rhetorik des Gegenübers zu entlarven, um mit der entsprechenden Gelassenheit reagieren zu können.

Rollenzuweisungen

„Als Vertreter der Einkaufsabteilung ist Ihr Verhandlungsspielraum vermutlich eingeschränkt." Zu einer solchen Aussage kann Ihr Gegenüber unterschiedlich motiviert sein. Vielleicht möchte er Sie entmachten, um Ihnen seine Bedingungen diktieren zu können, vielleicht provozieren, um Sie zu unbedachten Zugeständnissen zu verleiten. Entscheidend ist auch hier, dass Sie sich nicht verunsichern lassen und den Angriff am besten ignorieren. Führen Sie das Gespräch schnell wieder auf eine inhaltliche Ebene zurück.

Sachzwänge

Sogenannte Sachzwänge werden in Verhandlungen oft dazu herangezogen, eine Wand aufzubauen, die mit Argumenten nicht zum Einsturz gebracht werden kann. Mit Sachzwängen sind Rahmenbedingungen gemeint, die vermeintlich nicht geändert werden können und denen man die Verhandlungsergebnisse unterzuordnen hat.

Wie sollte man reagieren, wenn Sachzwänge ins Feld geführt werden?

Sachzwänge

Es gibt zwei Erscheinungsformen der Sachzwänge:

- Ihr Gegenüber sagt: „In Anbetracht der schwierigen Gesamtsituation gibt es keine sinnvolle Alternative zu unserem Vorschlag,...", um seine Position festzumauern oder
- die Aussage lautet: „Ich würde Ihnen gerne mehr Zugeständnisse machen, aber unsere Unternehmensführung lässt das auf keinen Fall zu."

Damit soll erreicht werden, dass Sie persönlich mehr Verständnis für seine Argumente entwickeln, da Ihr Partner gar nicht anders handeln kann, um sein Gesicht vor seinem Vorgesetzten nicht zu verlieren.

Tipp: Eine hypothetische Frage („Mal angenommen, die Zwänge wären nicht da,...?") kann Denkräume öffnen.

Abwertungen

Gerade in Verhandlungen ist es von entscheidender Bedeutung so aufzutreten, dass man Sie respektiert. Jegliche Verunsicherung Ihrerseits werden Ihre Verhandlungspartner wahrnehmen und Sie als vermeintlich „leichte Beute" abstempeln.

Wie können Sie einer solchen Entwertung Ihrer Persönlichkeit vorbeugen?

Abwertungen

Entscheidend ist, dass Sie sich selbst an das Steuerrad der Verhandlung stellen und nicht staunend daneben stehen.
Sehr hilfreich dazu ist ein Eigen-Coaching mit folgender Frage:

- „Wer wäre ich, wenn ich selbstbewusster/weniger leicht zu ärgern/weniger schnell wütend wäre?"

Notieren Sie sich Ihre Antworten auf einem Spickzettel und lesen Sie sich das Ganze nochmal vor der Verhandlung oder in einer Verhandlungspause durch. Sie werden schnell spüren, dass das positive Bild Ihrer Antworten viel zu einem selbstbewussten Auftreten beitragen wird.

Achtung! Vermeiden Sie das Extrem: Zu selbstbewusstes Auftreten kann Ihre Verhandlungen ebenfalls schädigen.

Unterstellungen

Auf Unterstellungen würdevoll und selbstbewusst zu reagieren, ist eine große Herausforderung. Unterstellungen treffen immer auf der persönlichen Ebene, was es schwierig macht, nicht emotional zu reagieren. Eine häufige Reaktion ist „Wie Du mir, so ich Dir" – und es folgt ein Vergeltungsschlag. Damit bereiten Sie einer Eskalation den Weg und die Verhandlung dürfte gelaufen sein.

Wie entschärft man also Unterstellungen, bevor sie Schaden anrichten?

Unterstellungen

Folgen Sie den drei hier aufgeführten Schritten. Sie werden sehen, wie Sie nicht nur die Unterstellung entschärfen, sondern auch einen kühlen Kopf bewahren:

- Die Unterstellung klar benennen („Wenn ich das richtig verstehe, dann behaupten Sie, dass…“).
- Ihre Gefühle klar ausdrücken („Ich fühle mich dadurch verletzt/angegriffen…“).
- Die Richtigstellung klar formulieren („Ich möchte klarstellen, dass…“).

Doch Achtung: Oft kann es besser sein, nicht ernsthaft zu kontern, sondern zu versuchen, mit einem lockeren Spruch darüber hinwegzugehen.

Ironie

Eine ironische Bemerkung wird in einer Verhandlungssituation gerne zum Testen Ihrer Grenzen eingesetzt. Nach dem Motto „Jetzt schaue ich mal, wie weit ich hier gehen kann" lässt Ihr Partner eine ironische Bemerkung als Testballon steigen.

Wie reagieren Sie am besten darauf?

Ironie

Die effektivste Methode ist, die ironische Bemerkung einfach zu ignorieren. Wenn Sie diese Technik überhören, läuft Ihr Gegenüber mit seinem Angriff komplett ins Leere. Haben Sie in diesem Fall den Mut zur Sprachlosigkeit, denn damit verunsichern Sie den Ironiker stark und stärken gleichzeitig Ihre natürliche Autorität.

Beispiel:
Sie hören in einer Verhandlung: „Um Ihr Niveau zu erreichen, müsste meins aber gewaltig sinken." Stellen Sie sich nun vor, Sie lassen Ihren Gegenüber durch das Ignorieren komplett ins Leere laufen. Wie oft wird er wohl noch ironische Bemerkungen machen, wenn er dafür keine Aufmerksamkeit erhält?

Vorwürfe

Wenn Sie sich Vorwürfen ausgesetzt sehen, können Sie davon ausgehen, dass Ihr Verhandlungspartner selbst in einem emotionalisierten Zustand ist. Helfen Sie ihm, diesen Zustand wahrzunehmen, indem Sie ihm den Sach-Spiegel vorhalten.

Vorwürfe

Lassen Sie Ihrem Partner Zeit, sein Spiegelbild zu erkennen und zu reagieren.

- Ein Vorwurf lautet: „Ihre Forderungen gehen doch auf keine Kuhhaut mehr."
- Sach-Spiegel: „Sie sind mit meinen Forderungen also nicht einverstanden."

- Ein Vorwurf ist: „Das ist doch wohl lachhaft."
- Sachlicher Spiegel: „Sie sehen den Sachverhalt also mit anderen Augen."

Belehrungen

Mit dieser Technik will man Sie in eine Rechtfertigungsposition drücken. Wenn Sie sich jedoch rechtfertigen, befinden Sie sich in einer defensiven, reaktiven Position. Es kann bei Ihrem Gegenüber der Eindruck entstehen „Irgendwie habe ich doch recht gehabt!"

Belehrungen

Die einzige Empfehlung, um nicht in diese defensive Rolle hineingedrängt zu werden, lautet: Geben Sie nach. Damit verpufft die Belehrung ohne Wirkung.

Beispiel:

- Belehrung: „Na, Sie haben ja noch keine allzu große Erfahrung in unserer Branche und können das deshalb gar nicht wissen."
- Antwort: „Stimmt, daher frage ich ja nach. Ich habe verstanden,..."

Oft treten Belehrungen in Verhandlungen dann auf, wenn große Alters- oder Hierarchieunterschiede da sind. Wenn Sie als Neuling mit dem langjährigen Abteilungsleiter verhandeln, wird die eine oder andere Belehrung vermutlich nicht ausbleiben.

In die Enge treiben

Mit dieser Technik verfolgt Ihr Gegenüber häufig das Ziel, den Verhandlungsabschluss zu seinen Gunsten zu beschleunigen. Sie sollen den Eindruck gewinnen, dass es keine weiteren Spielräume beim Ergebnis mehr gibt.

Was nun?

In die Enge treiben

Sie können bei dieser Technik davon ausgehen, dass Ihr Gegenüber selbst unter erheblichem (Abschluss-)Druck steht.
Ein Tier, das in die Enge getrieben wird, fängt an zu kämpfen. Spielen Sie also das Spiel mit. So könnten Sie die Verhandlung scheinbar abbrechen oder vertagen wollen.

Ihr Argument könnte dann wie folgt lauten: „Wenn das Ihr letztes Wort ist, dann werden wir unseren Verhandlungsradius erweitern." Häufig öffnen Sie dadurch Spielräume auf der anderen Seite.

Machtspiele

Machtspiele sind in Verhandlungen dann häufig, wenn klar ist, dass mehrere Anbieter im Spiel sind. Das bedeutet, Ihr Gegenüber muss einen Konkurrenten übertrumpfen, wenn er mit Ihnen ins Geschäft kommen will.

Wie können Sie Machtspiele erkennen?

Machtspiele

Vorsicht ist bei folgendem Verhalten angebracht: Ihre Vorgaben und Rahmenbedingungen werden vom Verhandlungspartner nahezu widerstandslos angenommen. Schnell sind alle Punkte geklärt und die Verhandlung ist beendet. Einige Zeit später kommt das böse Erwachen. Sie erhalten Nachricht von Ihrem Partner, dass er aus bestimmten Gründen die getroffenen Vereinbarungen nicht einhalten kann. Jetzt spielt er sein Machtspiel. Er geht davon aus, dass Ihre Planungen auf sein Angebot beschränkt sind und Sie keine Alternativen haben. Der beste Ausweg aus so einer Situation ist es, gar nicht erst hineinzukommen. Verlassen Sie sich auf Ihr Bauchgefühl.

Tipp: Entwickeln Sie einen Plan B für das mögliche Machtspiel. Lassen Sie sich nicht erpressen.

Manipulatives Vorgehen

Dabei handelt Ihr Partner nach dem Motto „Peitsche und Zuckerbrot". Das bedeutet, er wird zunächst einmal den Eindruck erwecken, dass das vereinbarte Verhandlungsziel nicht mehr erreichbar ist. Danach wird er Ihnen Möglichkeiten darlegen, wie man doch noch ein gutes Ergebnis erreichen könnte.

Manipulatives Vorgehen

Beispiel:
Ihr Partner sagt: „In Anbetracht der schlechten wirtschaftlichen Lage können wir unseren Lagerbestand nicht erhöhen. Wir könnten jedoch darüber nachdenken, wenn Sie uns mit den Zahlungsmodalitäten entgegenkommen."

Vorsicht: Hier ist Ihr gesunder Menschenverstand gefragt: Ist es nur eine Taktik oder entspricht die schlechte wirtschaftliche Lage der Realität? Verlassen Sie sich auf Ihre Intuition, wenn Sie handeln.

Scheinbare Wahlmöglichkeit

Auf diese Technik treffen Sie häufig, wenn es um Verkaufsverhandlungen geht. Dabei werden Sie scheinbar vor die Wahl zwischen Pest und Cholera gestellt. Das heißt, Ihr Gegenüber möchte Ihnen das kleinere Übel schmackhaft machen.

Wie reagieren Sie clever?

Scheinbare Wahlmöglichkeit

Beispiel:
Ein Autoverkäufer macht Ihnen folgendes Angebot: „Ihr gewünschtes Modell mit allen Extras kriege ich nur mit einer Bestellzeit von 6 Monaten. Aber ich habe auf dem Hof ein ähnliches Modell stehen, ohne die von Ihnen bevorzugten Extras. Das könnten Sie sofort mitnehmen."

Lassen Sie sich nicht in Versuchung führen. Spielen Sie auf Zeit und prüfen Sie ggf. zu Hause in aller Ruhe noch mal Pro und Contra des Angebotes.

Buhmann-Taktik

In dieser Variante wird einem Nichtanwesenden in der Verhandlung die Buhmannrolle zugewiesen. Meistens ist es der Vorgesetzte Ihres Gegenübers.

Wie wehren Sie sich gegen jemanden, der gar nicht da ist?

Buhmann-Taktik

Die Situation ist folgende: Alle Rahmenbedingungen und Vorgaben, an die sich Ihr Partner zu halten hat, sind nicht verhandelbar, weil sein Chef das so bestimmt hat.
Am besten reagieren Sie darauf, indem Sie sich schon vorher mit ihrem Vorgesetzten über diese Taktik verständigt haben. Dann können Sie nämlich anbieten, die Verhandlungen eine Hierarchieebene nach oben zu verlegen: Sein Chef mit Ihrem Chef. Sehr effektvoll wird das Ganze durch einen unmittelbaren Anruf bei Ihrem Chef in der Verhandlung. Sehr häufig weicht dieses Vorgehen die starre Rahmenbedingung auf.

Brunnenvergifter

Ihr Gesprächspartner versucht mit dieser Technik, Ihren Standpunkt stark zu erschüttern. Häufig wird eine solche Aussage im ersten Gesprächsbeitrag verwendet. Sie werden damit in eine Ecke gedrängt, aus der Sie schwer wieder rauskommen und das, obwohl Sie noch gar nichts gesagt haben. Ihr Gegenüber will Ihre Position runtermachen, erschüttern und Sie als Person diffamieren.

Brunnenvergifter

Beispiel:

„Niemand mit gesundem Menschenverstand wird bezweifeln, dass die geplante Übernahme von xy eine erhebliche Umsatzsteigerung für uns zur Folge hat."

Stellen Sie das nun in der Verhandlung in Frage, dann müssen die anderen an Ihrem gesunden Menschenverstand zweifeln.

Was tun? Auch auf die Gefahr hin, als dumm zu gelten: Das bedeutet, nennen Sie die Taktik beim Namen. Stellen Sie klar, dass damit keine lösungsorientierte und kritische Verhandlung möglich ist. Stellen Sie Fragen nach konkreten und echten Gründen für diese Aussage.

Selbstverständlichkeitstaktik

Bei dieser Taktik appelliert Ihr Verhandlungspartner an allgemeingültige, selbstverständliche Handlungsweisen. Sehr häufig treten diese Appelle ganz beiläufig in der Verhandlung auf. Wenn im alten Rom jemand wegen Mordes vor Gericht stand, so war es dort manchmal üblich, dass der Ankläger Frau und Kinder des Opfers in die erste Reihe setzte. Allerdings waren dies häufig bezahlte Darsteller. Aber die Tränen der Opfer waren selbstverständlich Beweis genug.

Selbstverständlichkeitstaktik

Damit Sie nicht in die Selbstverständlichkeitsfalle tappen, ist es von entscheidender Bedeutung, dass Sie sich Ihrer eigenen Glaubenssätze bewusst werden. Nehmen Sie sich ein leeres Blatt Papier und ca. zehn Minuten Zeit. Schreiben Sie als Erstes auf das Papier: „Es ist für mich selbstverständlich,..." Schreiben Sie ohne Bewertung Ihre Gedanken auf. Auf dem Blatt könnte stehen: „Hilfsbedürftigen zu helfen; Schwache zu unterstützen" usw. Anschließend überprüfen Sie die Antworten: Wann haben Sie sich das letzte Mal durch Ihre Selbstverständlichkeiten in einer Verhandlung zu Zugeständnissen verleiten lassen?

Ja-Straße

Die Ja-Straßen-Technik hat das Ziel, Sie in eine Zustimmungshaltung zu bringen, in der Ihnen das Neinsagen nicht mehr in den Sinn kommen soll. Dabei beginnt die Straße meist mit einigen allgemeinen Aussagen, die nur mit Ja zu beantworten sind. Mit dem letzten Argument wird dann der kritischste Punkt in einer Verhandlung zur Sprache gebracht, in der Hoffnung, dass Sie nur noch zustimmen können.

Ja-Straße

Dialog, bei dem Herr Meier die Ja-Straße vorgibt:

- „Herr Müller, es ist Ihnen doch sicherlich auch an einem schnellen Ergebnis gelegen?"
- „Herr Müller, ist es Ihnen auch wichtig, dass die Verhandlung vertraulich ist?"
- „Herr Müller, von dem Ergebnis sollten beide Seiten profitieren, oder?"
- „Herr Müller, wenn diese Punkte so wichtig für Sie sind, sind Sie dann damit einverstanden, dass wir zuerst über die Höhe Ihres Angebotes sprechen?"

Achtung: Bleiben Sie bei aufeinanderfolgenden Fragen wachsam und aufmerksam.

Ja-aber-Spiele

Bei dieser Technik versucht Ihr Partner, die Verhandlungspunkte, die ihm selbst nicht wichtig sind, zu vermeiden. Nicht selten wird er einer Aussage von Ihnen mit Ja zustimmen, anschließend ABER seine Argumentation wortgewaltig und ausführlich darstellen.

Wie verhalten Sie sich elegant?

Ja-aber-Spiele

Behalten Sie Ihre Argumente stets hartnäckig im Auge. Kommen Sie immer wieder auf die ausgeklammerten Punkte zurück, bis diese geklärt oder verabschiedet sind.

Achtung: Bleiben Sie sensibel und fair. Von einer ausdauernden Hartnäckigkeit bis zur Sturheit ist es nur ein kleiner Schritt.

Zangentechnik

Wer kennt diese Situation aus Kriminalfilmen nicht: Der gute Polizist, der freundschaftlich mit dem Verdächtigen umgeht und der böse Polizist, der ruppig versucht, die Wahrheit herauszupressen. Auch in einer Verhandlung kann es Ihnen passieren, dass Sie von einem eingespielten Team auf der anderen Seite in die Zange genommen werden.

Wie vermeiden Sie es am besten, in der Zange eingeklemmt zu werden?

Zangentechnik

Die Situation: Sie machen einen Preisvorschlag, woraufhin einer der Gesprächspartner mit Wohlwollen reagiert und der andere mit einem kategorischen „Nein". So geht dieses Spiel ein paar Mal hin und her, bis der wohlwollende Partner einen Kompromissvorschlag macht, auf den sich alle einigen könnten. Wenn Sie nun einwilligen, sind Sie der Zangentechnik auf den Leim gegangen. Abhilfe können Sie nur durch offenes Ansprechen schaffen. Z.B.: „Ich habe den Eindruck, dass Ihr Kollege gegen alle meine Angebote etwas einzuwenden hat. Mein Vorschlag lautet, dass sie beide sich zunächst einmal auf ein Verhandlungsziel einigen, bevor wir weitermachen. Was halten Sie davon?"

Ändern Sie die Spielregeln

Unfaire Techniken laufen ab wie Spiele, die beide Parteien miteinander spielen. Das bedeutet, dass der Ablauf immer der gleiche ist. Alles geht seinen vorhersehbaren Gang und hinterher haben einige Beteiligte an der Verhandlung das ungute Gefühl, nicht fair behandelt worden zu sein.
Die Bezeichnung Spiel bedeutet aber gleichzeitig nicht immer, dass allen Beteiligten die Regeln klar und bewusst sind.

Daher lautet der Expertentipp: Ändern Sie die Spielregeln. Was heißt das konkret?

Ändern Sie die Spielregeln

Stellen Sie sich Folgendes vor: Sie spielen mit einem Bekannten eine Partie Schach. Nach einigen Zügen fangen Sie plötzlich an, die Figuren nach Mühle-Regeln zu bewegen. Ihr Bekannter wird im ersten Moment sehr verblüfft sein. Übertragen auf die Verhandlungssituation bedeutet dies, dass Sie von Anfang an wachsam sein sollten. Sobald Sie nun bemerken, dass eine unfaire Technik ins Spiel gebracht wird, sollten Sie die Regeln ändern. Das heißt konkret, verweigern Sie die Ihnen zugedachte Rolle, verhalten Sie sich anders, als es Ihr Gegenüber erwartet. Damit erzielen Sie im ersten Moment die oben beschriebene Verblüffung. Dann können Sie wieder auf einer wertschätzenden und partnerschaftlichen Ebene weiterverhandeln.

Maßnahmenplan

Nachdem Sie nun hart, aber fair verhandelt haben, gilt es, die erzielten Ergebnisse festzuhalten und erste Schritte zur Umsetzung in die Wege zu leiten. Um Verbindlichkeit herzustellen, ist ein schriftliches Festhalten empfehlenswert. Dazu ist ein Maßnahmenplan hilfreich.

Maßnahmenplan

Nehmen Sie ein Flipchart, eine Metaplanwand oder einfach ein weißes Blatt Papier und fertigen Sie folgende Tabelle an:

- Was ist zu tun?
- Bis wann?
- Von wem?
- Wer kontrolliert?

Achten Sie darauf, auch eventuelle Abhängigkeiten aufzuzeigen.

Dieser Plan ist schnell abfotografiert und/oder per E-Mail an alle verschickt.

Ergebnisprotokoll

Auch hier gilt das Prinzip: Schriftlichkeit erzeugt Verbindlichkeit. Halten Sie die Ergebnisse fest.

Ergebnisprotokoll

Halten Sie diese Punkte im Ergebnisprotokoll fest:

- Titel der Verhandlung
- Datum der Verhandlung
- Thema der Verhandlung
- Namen der beteiligten Verhandlungsführer
- vereinbarte Ziele und Punkte

Achtung: Lesen Sie ein Protokoll immer erst gegen, bevor Sie es unterzeichnen.

Persönliche Nachbereitung

„Nach der Verhandlung ist vor der nächsten Verhandlung".
Getreu diesem Motto reservieren Sie sich unbedingt im Anschluss an eine Verhandlung Zeit für Ihren persönlichen Rückblick. Jetzt sind die Erinnerungen noch frisch.

Persönliche Nachbereitung

Ein Diktiergerät oder ein MP3-Player gibt Ihnen die Chance, Ihren Gedanken und Eindrücken freien Lauf zu lassen. Alternativ dazu reicht auch ein Stück Papier. Wenn Sie zu zweit oder mit mehreren in einer Verhandlung waren, dann geben Sie sich unbedingt hinterher Feedback. Effektiver ist es, wenn Sie vor der Verhandlung schon festlegen können, wer bei wem auf was achtet und dazu Feedback gibt.
Nutzen Sie die Chance, aus der Praxis für die nächste Verhandlung zu lernen und sich zu entwickeln.

Persönliche Hausaufgabe

Um seine Persönlichkeit weiterzuentwickeln, ist es sehr hilfreich, das Erlebte und das Feedback in Form von persönlichen Hausaufgaben umzusetzen. Formulieren Sie sich kleine Aufgaben, die Sie bis zur nächsten Verhandlung erledigt haben wollen.

Persönliche Hausaufgabe

Hilfreich für die Formulierung dieser Aufgabe sind diese Fragen:

- Wenn ich die Verhandlung nochmals führen dürfte, was würde ich dann anders machen?
- Wie zufrieden bin ich mit dem Verlauf?
- Wie zufrieden bin ich mit den Ergebnissen?
- Habe ich mein Ziel erreicht?
- Wie zufrieden bin ich mit meiner Vorbereitung?
- Was muss passieren, damit ich noch zufriedener bin?

Moderation & Konfrontation

Stellen Sie sich folgende Situation vor: Sie sind 10 Jahre alt und wollen Ihren Durst mit einem leckeren Zitronentee löschen. Es fehlt Ihnen nur noch der Zitronensaft. Sie entdecken an einem Baum die letzte Zitrone dieses Sommers – und gerade, als Sie die Frucht pflücken wollen, steht der Nachbarsjunge vor Ihnen und behauptet, dass er die Zitrone ebenfalls benötigt.

Wie reagieren Sie nun?

Moderation & Konfrontation

Eine häufige Reaktion in dieser konkreten Situation ist es, dass jeder den anderen zu überzeugen versucht, er solle auf die Zitrone verzichten, weil das eigene Anliegen das wichtigere sei. Nicht selten endet so etwas in Streit oder Aggression.
Gerade in einer Verhandlung heißt es aber, immer einen kühlen Kopf zu bewahren, moderat und freundlich zu seinen Verhandlungspartnern zu sein, aber hartnäckig die eigenen Ziele zu verfolgen.

Wie viel Moderation und wie viel Konfrontation stecken in Ihrem persönlichen Verhandlungsstil? Und: Wie kompromissbereit sind Sie?

Übrigens: Der Nachbarsjunge benötigte nur ein bisschen von der Zitronenschale für seinen Zitronenkuchen.

Sofortwissen kompakt:

Erfolgreich präsentieren
Businesswissen in 50 x 2 Minuten
ISBN 978-3-941574-00-7

Erfolg als Führungskraft
Führungswissen in 50 x 2 Minuten
ISBN 978-3-941574-01-4

Business-Knigge
Etikette in 50 x 2 Minuten
ISBN 978-3-941574-02-1

Small-Talk im Beruf
Businesswissen in 50 x 2 Minuten
ISBN 978-3-941574-03-8

Körpersprache im Beruf
Businesswissen in 50 x 2 Minuten
ISBN 978-3-941574-04-5

Selbstmotivation pur
Motivationsimpulse in 50 x 2 Minuten
ISBN 978-3-941574-05-2

Aufträge akquirieren
Verkaufswissen in 50 x 2 Minuten
ISBN 978-3-941574-06-9

Der gute Ton am Telefon
Telefonkompetenz in 50 x 2 Minuten
ISBN 978-3-941574-12-0

Erfolgreich verhandeln
Verhandlungskompetenz in 50 x 2 Minuten
ISBN 978-3-941574-09-0

PR und Öffentlichkeitsarbeit
Medienkompetenz in 50 x 2 Minuten
ISBN 978-3-941574-10-6

Zeitmanagement
Selbstorganisation in 50 x 2 Minuten
ISBN 978-3-941574-11-3

Wirtschaftskrise
Krisenkompetenz in 50 x 2 Minuten
ISBN 978-3-941574-08-3

Bürosprech
Business-Slang in 50 x 2 Minuten
ISBN 978-3-941574-13-7

Alle Titel auch für Ihr iPhone. Suchen Sie im App Store nach „heragon"!